Deinosoriaid di-ri

www.peniarth.cymru

Testun: Bethan Clement, 2018
© Delweddau: Canolfan Peniarth, Prifysgol Cymru Y Drindod Dewi Sant, 2018

Golygyddion: Lowri Lloyd ac Eleri Jenkins

Dyluniwyd gan Rhiannon Sparks

© Lluniau: Shutterstock.com. t.9 Stocktrek Images, Inc. / Alamy Stock Photo. t.12, t.13
Universal Images Group North America LLC / DeAgostini / Alamy Stock Photo

Cyhoeddwyd yn 2018 gan Ganolfan Peniarth

Wyt ti'n gwybod?

Cynnwys

Pa mor fawr oedd y deinosoriaid?

Roedd rhai deinosoriaid yn greaduriaid mawr a ffyrnig iawn, ond roedd y rhan fwyaf ohonyn nhw tua'r un maint â phobl. Roedd llawer yn llai na phobl ac roedd rhai ohonyn nhw yn fach iawn, iawn.

Y trymaf

Roedd rhai deinosoriaid yn enfawr. Un o'r rhai trymaf oedd y Brachiosaurus. Roedd e'n pwyso tua 80 tunnell, cymaint ag 17 eliffant! Waw!

Roedd y Brachiosaurus yn dalach na'r coed ac yn hirach na phwll nofio.

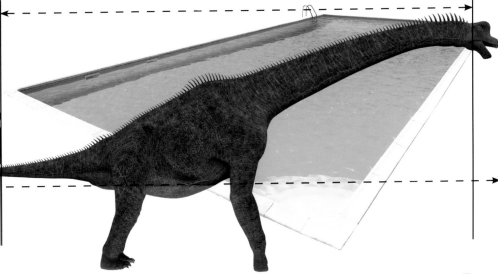

Y talaf

Roedd y Sauroposeidon hyd yn oed yn dalach na'r Brachiosaurus. Ei wddw hir oedd yn ei wneud mor dal. Roedd e tua 18.5 metr o daldra, sef tua'r un uchder ag adeilad deg llawr.

Roedd e'n bwyta coed. Roedd rhai o'r deinosoriaid mwyaf yn gallu bwyta dail a changhennau coeden mewn diwrnod!

neis iawn!

Deinosoriaid tebyg i adar

Roedd rhai deinosoriaid yn edrych fel adar.

Dyma'r Archaeopteryx.

Roedd ganddo blu ar ei freichiau a'i goesau i'w gadw'n gynnes. Roedd ceg y Archaeopteryx yn debyg i big aderyn. Roedd ganddo ddannedd yn ei big. Doedd e ddim yn gallu hedfan ond roedd e'n gallu dringo coed yn dda a rhedeg yn gyflym iawn. Roedd e tua'r un maint â thwrci mawr.

Oes dannedd gan y twrci?

9

Y lleiaf

Deinosor arall oedd yn edrych ychydig fel aderyn oedd y Microraptor. Roedd gan y Microraptor blu hir, du, trwchus ar ei freichiau, ei goesau a'i gynffon ac roedd ganddo adenydd!

Oherwydd yr adenydd ar ei goesau ôl, doedd e ddim yn gallu cerdded a rhedeg yn dda, ond roedd e'n gallu hedfan. Roedd ganddo ddannedd miniog iawn i ladd a bwyta mamaliaid bach, adar a physgod.

Y Microraptor oedd un o'r deinosoriaid lleiaf. Roedd e tua 80 centimetr o hyd ac roedd e'n pwyso un cilogram.

Beth arall sy'n mesur 80 cm?

Tybed beth arall sy'n pwyso 1 kg?

Y cyflymaf

Y deinosor cyflymaf oedd y Dromiceiomimus. Roedd e'n gallu rhedeg tua 60 cilometr yr awr (tua 37.7milltir yr awr).

Roedd ganddo 3 bys ar ei draed ôl ac roedd e'n defnyddio'r rhain fel pigau i'w helpu i redeg yn gyflym.

Roedd e tua 4 metr a hanner o hyd ac yn pwyso 150 cilogram sef tua'r un pwysau â beic modur.

Y mwyaf araf

Roedd y Stegosaurus yn fawr ac yn drwm. Roedd e tua naw metr o hyd, 4 metr o uchder ac roedd e'n pwyso 3 tunnell. Roedd e'n pwyso mwy nag eliffant!

Er bod y Stegosaurus mor fawr â bws, roedd ei ben yn fach iawn, dim ond tua'r un maint â phen ceffyl.

Doedd y Stegosaurus ddim yn gallu symud yn gyflym achos bod ei goesau blaen yn fyr iawn. Roedd e'n gallu symud tua 7 cilometr yr awr. Rwyt ti siwr o fod yn gallu rhedeg yn gynt!

Wyau deinosoriaid

Roedd y deinosoriaid yn dodwy wyau mewn nythod yn y ddaear. Roedd yr wyau bob lliw a llun ond roedd y rhan fwyaf yn debyg i siâp pêl-droed neu bêl rygbi.

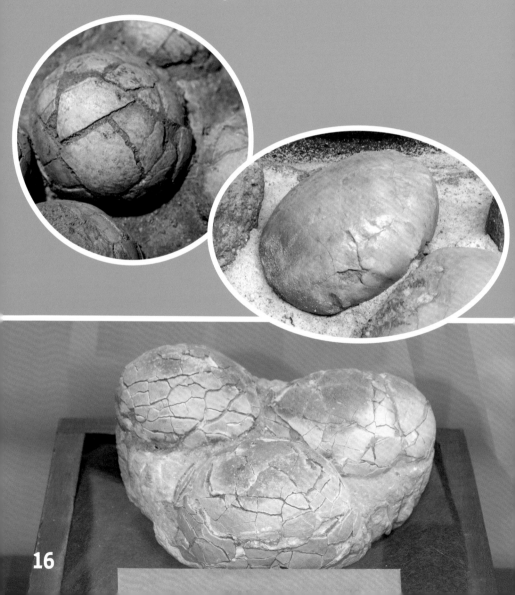

Roedd rhai o'r wyau mwyaf yn mesur 60
centimetr o hyd a 20 centimetr o led.
Roedden nhw'n pwyso tua saith cilogram.

20cm

60cm

Y Mussaurus oedd yn
dodwy rhai o'r wyau
lleiaf. Dim ond tua 2.5
centimetr o hyd oedden
nhw.

2.5cm

Mynegai

Brachiosaurus	4, 6
Dromiceiomimus	12
Micropraptor	10, 11
Mussaurus	17
Archaeopteryx	8, 9
Sauroposeidon	6
Stegosaurus	14, 15
Wyau deinosoriaid	16, 17